과분한 사랑 주심에
항상 감사드립니다!

GARBAGE TIME

DASAN
COMICS

매일매일 새로운 재미, 가장 가까운 즐거움을 만듭니다.

한국을 대표하는 검색 포털 네이버의 작은 서비스 중 하나로 시작한 네이버웹툰은 기존 만화 시장의 창작과 소비 문화 전반을 혁신하고, 이전에 없었던 창작 생태계를 만들어왔습니다. 더욱 빠르게 재미있게 좌충우돌하며, 한국은 물론 전세계의 독자를 만나고자 2017년 5월, 네이버의 자회사로 독립하여 새로운 모험을 시작하였습니다.
앞으로도 혁신과 실험을 거듭하며 변화하는 트렌드에 발맞춘, 놀랍고 강력한 콘텐츠를 만들어내는 한편 전세계의 다양한 작가들과 독자들이 즐겁게 만날 수 있는 플랫폼으로 거듭나고자 합니다.

#15
가비지타임
글·그림 2사장
JINHOON
23
23
GARBAGE TIME

CONTENTS

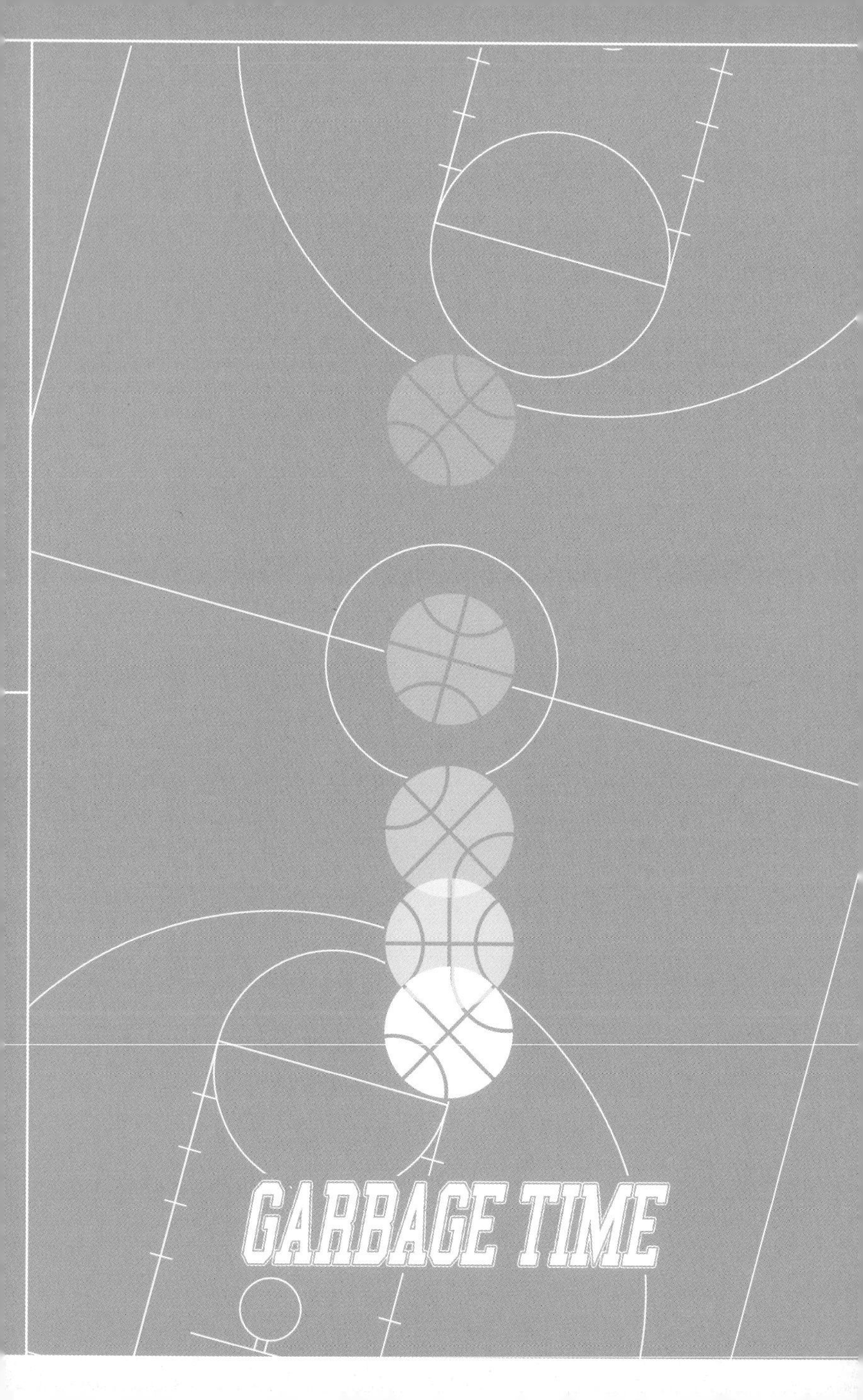
GARBAGE TIME

SEASON-4
2화

GARBAGE TIME

호잇!!

빙글
앗!

님
레이업 미스
뭐임?
왤케
몸이 굳었음?
JISANG
오늘따라…

점점…

필승! 지상고등학교!
JISANG HIGH SCHOOL

경기장 질서문란 행위
학교 농구부 승
사람이 많아지고 있는 거 같아갖고…
긴장이 쪼금….

걱정 마라.
짜피 게임 시작하고 3분만 있으면 긴장 다 풀린다.
오, 웬일로 형 같은 말을….
니보단 대회 훨씬 많이 뛰어봤으니까.
환영합니다
흐아압!

西方步法
서방보법!!

흡
흡
허
찍
짝
탓

방금
서방보법이라
한 거예요?
별…
그냥 유로스텝이구만
괜히 거창한 이름을….

우리도
질 수 없죠.
자!
태성 햄!
가보죠!
뭐를?
갑자기
뭘 가는데?
멋있는 떵크
한 번만 보여줘요!

싫은데?
아 왜요!?
니들이
시키는 거는
그냥 싫다.

아~
한 번만요!
관중석에서
은재 누나도 보고 있는데
멋있게 하나 보여주면⋯.
승! 지상고
JISANG HIGH SCHOO
그러면은
뭐⋯
몸풀기 삼아
한번⋯.
오예~!

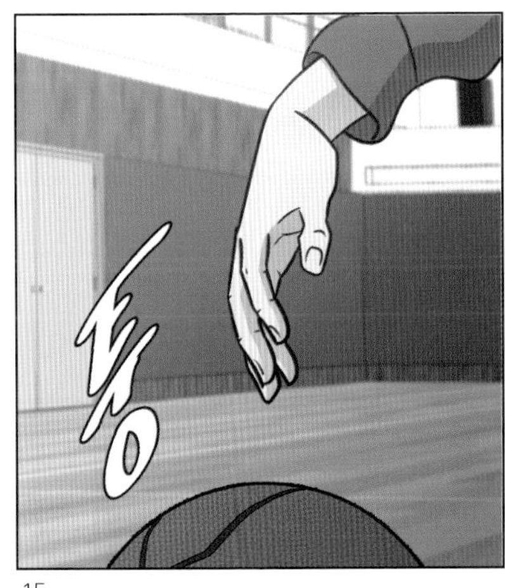
통

휙

텅

가라앗!!!

드래곤―
―스파이럴
덩크!!!

아이씨…
탁

아니 뭐 해!?
슛하는 거 좀 기다렸다가 해!
제가 먼저 던졌사옵니다, 전하.
어차피 그 토스 잡지도 못할 토스였어.

나와봐.
빨리 슛감 잡아야 하니까
내가 토스해줄 테니까 얼른 좀 하고 끝내라.
오, 준수 햄이 직접 토스를…!

뒤따라서 뛰어와.

오오옷!!!
오...

드래곤 스플래셔 덩크!!!
개멋있어!!
봤나…?

아이씨 어디 갔는데!?
필승! 지상고등학교!
JISANG HIGH SCHOOL

준수 니 오늘 슛감 쫌 괘안나?
그냥 똑같애.
똑같은 게 뭔데?
잘 드간다는 얘긴지 아니라는 건지….
그냥저냥이라고.
에휴
…알았다.

재유 햄,
왜 저한텐
안 물어봐요?
…
닌 어떤데?

저야 뭐…
ISANG

늘 최고죠.

이상적으로
계산해서
우리 다섯이
파울 네 개씩
꽉꽉 채워 쓴다고
가정하면
쓸 수 있는
파울이 20개,
그중에
10개 이상은
자유투가 약한
임승대한테 쓴다고
생각해.

평소보다
파울 훨씬
생각하면서
써야 돼.
알겠냐,
공태성?

알고 있어요.

니네들은 분명
말도 안 된다
생각하겠지만

난 오늘 게임
USANG
31
이길 생각이야.

이번 대회 결승까지 올라온 거는 솔직히 말해서 운도 많이 따랐어.
상대 팀들도 우리에 대해서 잘 모르는 상태였고.

오늘 같은 기회
다시는 안 올지도 모른다는 말이야.
JISAN
6
31

흥
자기만
특별하다는 듯이
말하기는….

저도 오늘은
승! 지상고
JISANG HIGH SCHOOL

질 생각이
전혀 없거든요.

…
처음으로
말이 조금
통하는구만.
XX끼…
정희찬.

옙!
마무리해.
옙.

하나
둘
셋
지상!!!

최강
최강
최강!
최강!!!

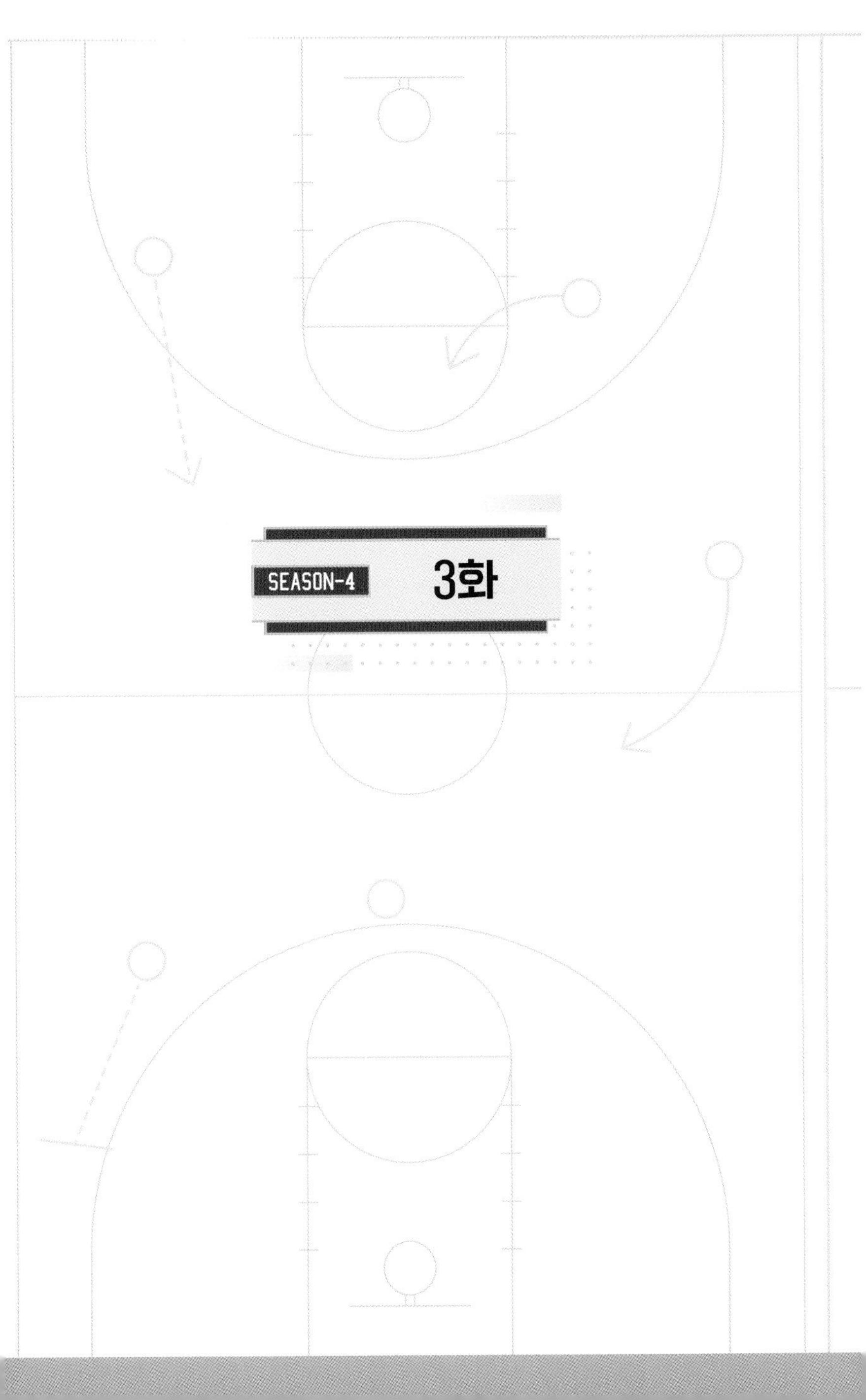

SEASON-4

3화

GARBAGE TIME

승대,
듣고 있어?
아, 어.
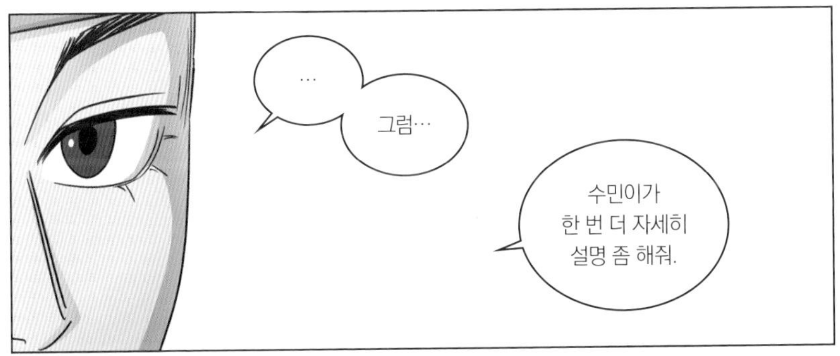
…
그럼…
수민이가
한 번 더 자세히
설명 좀 해줘.

오케이.

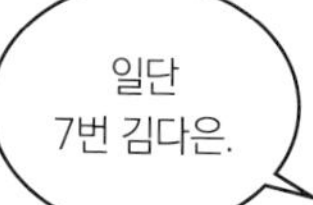
일단
7번 김다은.

초보자치곤
괜찮긴 한데
딱 그 정도.
별로
위협이 될 만한 건
없어.
23번 공태성.
아까
덩크하는 거
봤지?

얘도 뭐
초보자에 별 볼 일 없지만
탄력 하나는 어마무시해.
아까 그런 덩크를
'드래곤 스파이럴 덩크'라고
하는 모양이야.
새로운 지식이 늘었어.
(^o^)
…
그냥
원핸드 덩크
아니야?

다음은 31번 성준수.
전문 슈터.
전영중을 상대로 30점을 넣었을 만큼 폭발력은 있는 놈이야.
여담이지만 슛하기 전에 이상한 말을 중얼거린다는 소문이 있더라고.
하하. 뭔가 중얼거리기 시작하면 막을 준비하면 되겠다, 찬양아.
아… 넵.

그다음
13번 정희찬.
얘도
빠른 거 말고는
딱히…
게다가
왼손을 다쳐서
안 나올 확률이
높아.

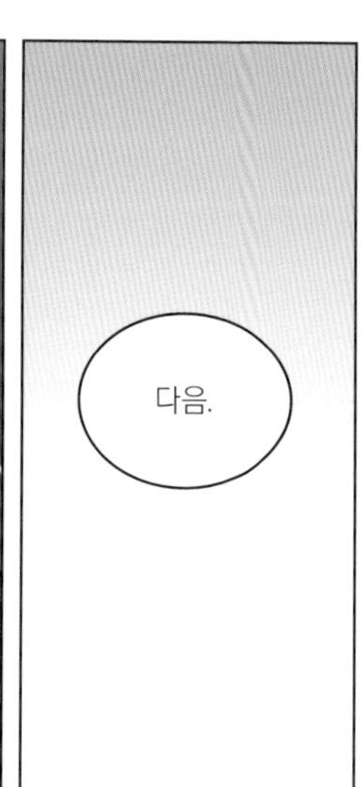
다음.

6번 기상호.

규 네 방식으로
표현하자면
사파 디펜더지.
박병찬을
막았다는
녀석이야.

그 얘긴 나도
직접 들었어.
박병찬을
숨도 못 쉴 정도로
묵사발로
만들어놨다던데.
뭐 아무튼…
마지막

4번 진재유.
저 팀 에이스야.
지상고 공격
7할 8할은
쟤한테서 시작돼.
진훈정산 경기에선
40점대를 넣었을 정도로
득점력이 있어.
JISANG
4

하핫
진훈정산이 상대면은 나도 50점은 넣을 수 있어.
볼만 좀 만질 수 있으면 말이지~

……
뭐, 그야 그렇겠지.
진훈정산엔 너랑 매치업이 될 만한 덩치가 없으니까.
하하

그러면 뭐…
파이팅 한번 하고 가자.
하 둘 셋

우승.

…
차에서
잠은 좀 잤어?

…
조금.

쌍용기 전국남
고교농구대회

#9 주찬양 2학년
185cm 슈팅 좋음.
노마크 3점 적중률이 특히
높다. 다만 조금만 컨테스트가
있으면 성공률이 크게
떨어지는 편.
PG/SG
★★★★★★★★★
3학년
#4 진재유
194 cm
PG
#4 이규 3학년
올라운더. 리딩 담당
외곽슈팅은 평범
수비 좋음. 18세 대표
PG/SG/SF
192cm
#31 성준수
3학년 188cm
SG/SF
농구력 약 67만KSH로 추정중
(노멀폼 기준)
#19 노수민 3학년
193cm 블루워커.
리바운드, 디펜스가 강점.
득점력은 제로에 가까운듯
PF
#23 공태성
1학년
195cm
체르니 30 돌파
PF/C

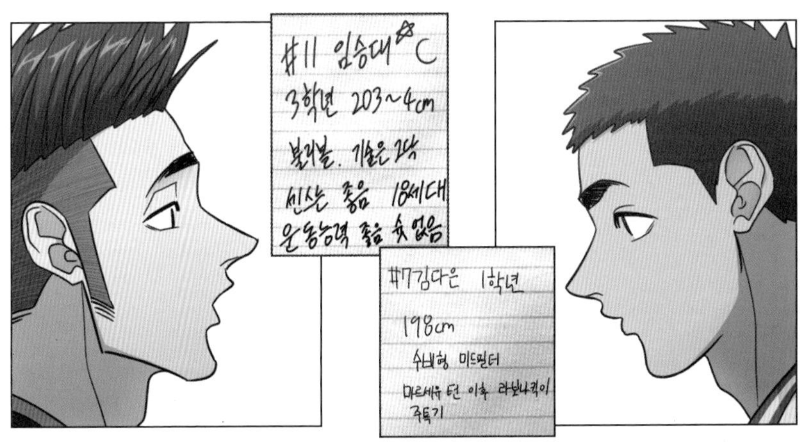
#11 임승대 C
3학년 203~4cm
불리볼. 기술은
신장은 좋음 18세대
운동능력 좋음 슛 없음
#7김다은 1학년
198cm
수비형 미드필더
마르세유 턴 이후 라보나킥이
주특기

#23 최종수 3학
연령별 대표 여태 빠짐없이
다 뽑힘.
PG/SG/SF
#6 기상호 1학년
187cm SG/SF
영윤초등학교 과학의 날 행사
트리플 크라운 달성
(과학 상상화, 과학상자,
고무동력기)

쌍용기 전국남
고교농구대회

우와…
최종수…
연예인 보는
기분….

행위근절
안녕하세요….

비켜,
뒤지기 싫으면.
JISANG
6

…?

영합니다
JISANG
11
7

휙

파야
JISANG

팅
텅

탁
오케이~!
고등학
H SCHOOL

지상고
선공!

호잇.

쌍용기 전국남녀고교농구대회

결승

:

지상고등학교

오늘 경기는
어떻게 될까요?

뭐…
공은 둥글다고들
하지만
농구공은 꽤
모났단 말이지.
오늘은 뭐…
장도고가
어제 먹은 게 잘못돼서
단체로 식중독이라도
걸리지 않는 이상은…

…
장도고 9
지상고 1.

9 대 1이요?
식중독을 기대해야 하는 상황치고는 지상고한테 후한 것 같은데요?

왜인지 지상고는…

JISANG
31
1 정도는 남겨두는 게 맞는 거 같아서.

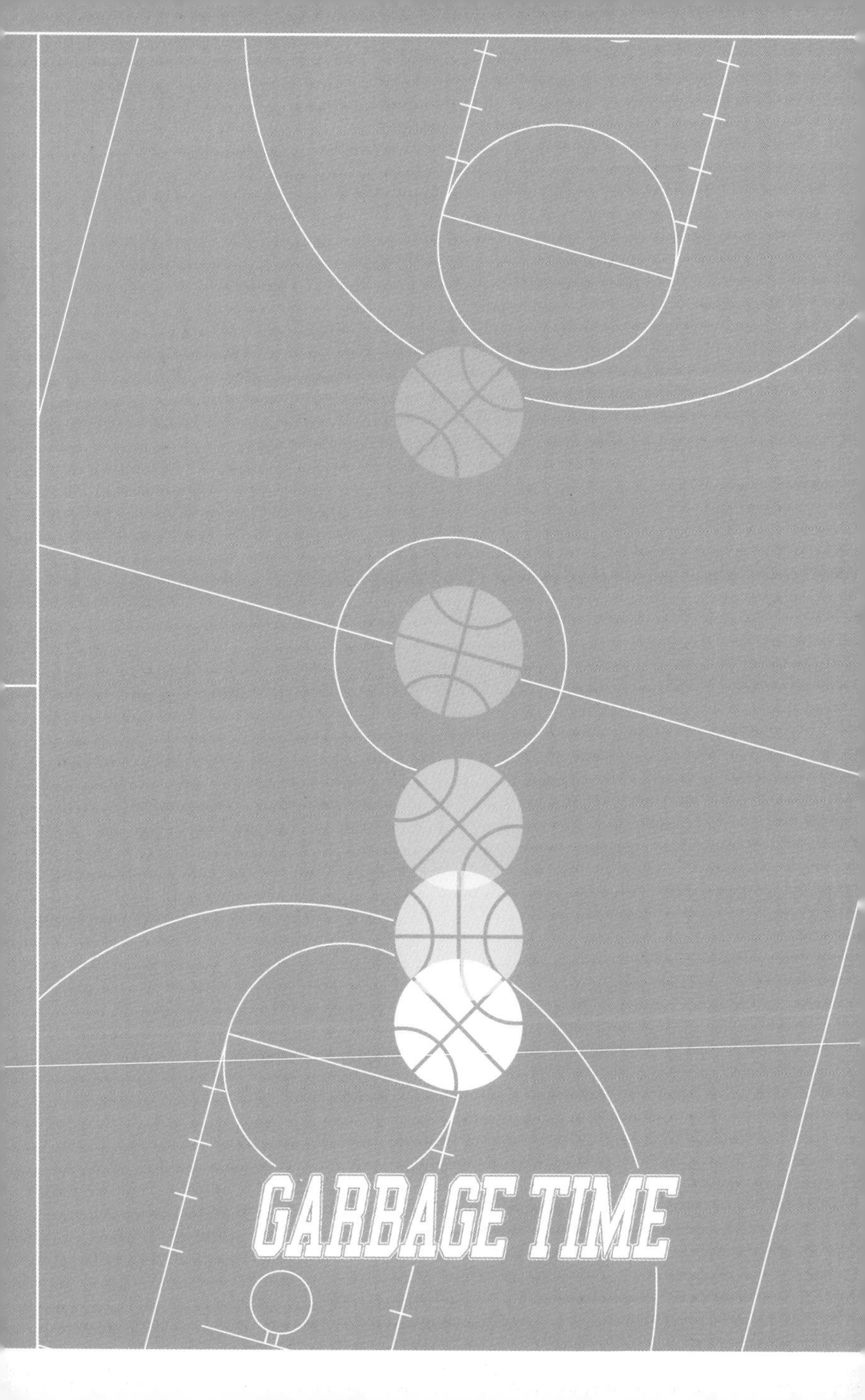
GARBAGE TIME

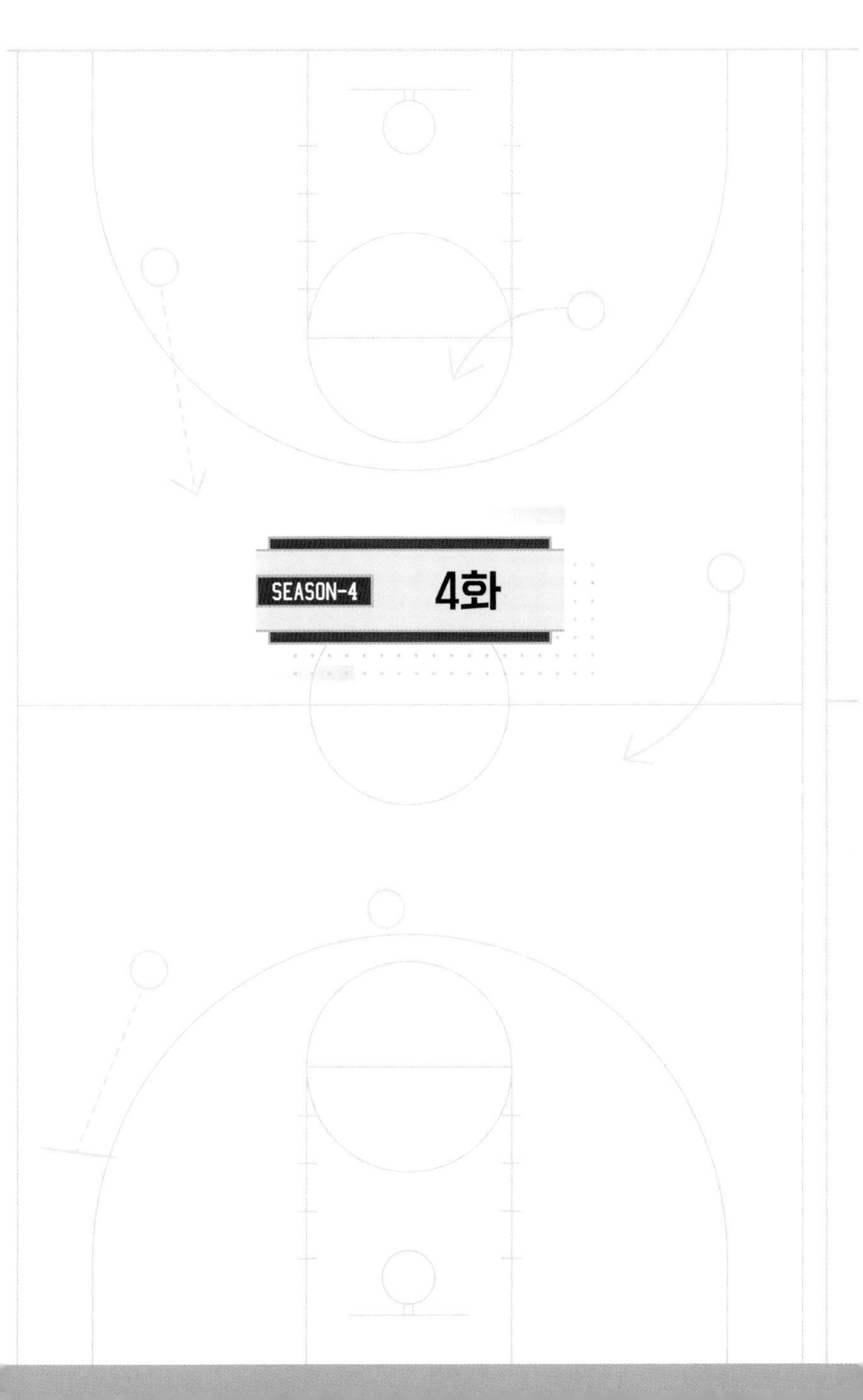

SEASON-4 4화

GARBAGE TIME

퉁

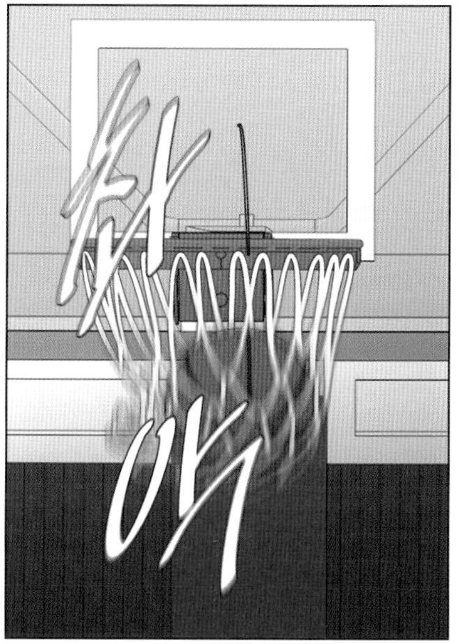

촤악

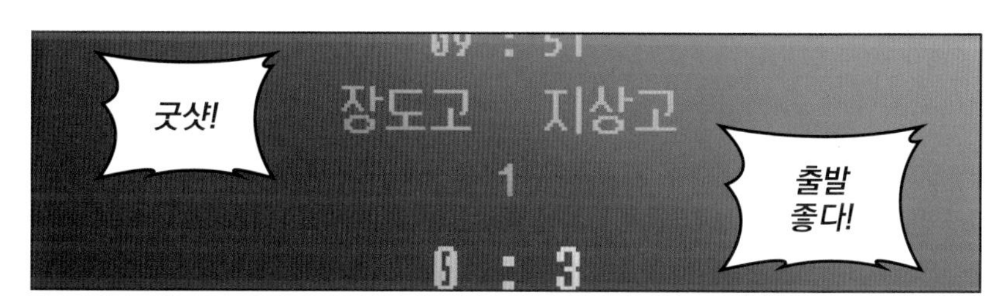

굿샷!
장도고 지상고
1
0 : 3
출발 좋다!

에이씨, 지저분하게 들어가네.

장도고 상대로
와이드 오픈 찬스만 기다리다간
경기 내내 샷클락에
걸리게 될 뿐이야.

최종수….

온다…!

씽

와씨…!
휘식
까비!
완전히
벗겨냈는데…!
탕
타

리바!
JISANG
헤이!
앞에!

6번 출발
빨랐다!

바로 쏘셈!!!

휘익

09 : 35
장도고 지상고
1
0 : 6

오, 우리 학교
꽤 잘하나보네
되게 못한다
들었는데
파랑이
우리 학교
맞제?
지상이라
써 있다 아이가
잘 안 보이는데…

디펜스!

초반에는 일단

원중고가
했던 대로

이규 쪽을
비워두자.

턱
찬스다!
이규에 대한
체크는
쩍
땡겨!
멈칫
가볍게만.

안 떤지네.
떤질-만했는데
지난 원중고전
초반 슈팅 부진이
신경 쓰여가

망설임 없이
떤질 수만은
없겠지.
그렇다고
완전히 프리로
놔둘 만한 놈은
아니니
휙
가벼운 체크로
공격 지연만을
노린다.

텅

탁

어?
이걸!?

속공!
탕

최종수
따라붙었다!
파앙
탕

휘익

턱

…!!!

아앗!

빠

텅

촤아

오오오옷!!!
앤드원!
JISANG
23
시작하자마자
8점 차다!
09 : 18
장도고 지상고
1
0 : 8

방금처럼
속도 붙여서
뛰어오르게 놔두면
위험하겠어. (;'ㅇ')
맞아.
바로 앞에서 보니까
점프가 진짜
허공답보 수준이네.

풉,
허공답보는
또 뭐야?
너
허공답보도
몰라?

아니,
아는데 웃겨서.
……

이 X끼들,

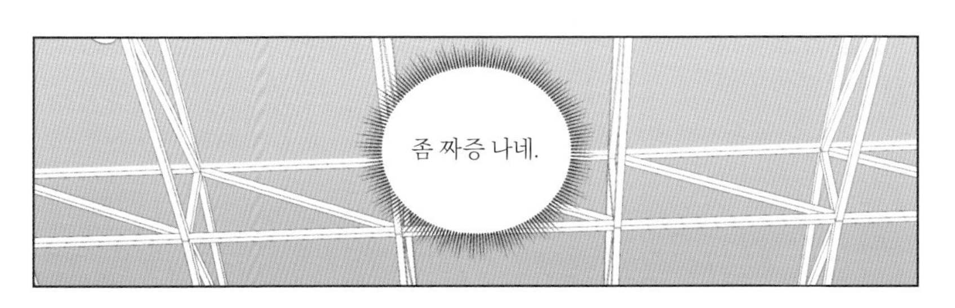
좀 짜증 나네.

은재.
우리 뭐 구호 같은 거 안 하나?
오늘 좀 컨디션이 안 좋아서…
지영이 니가 리드해줘.
필승! 지상고등학
아, 응.

……

응원해
줘봤자

고마운 줄도
모르는 앤데.

조금
자존심
상하거든.

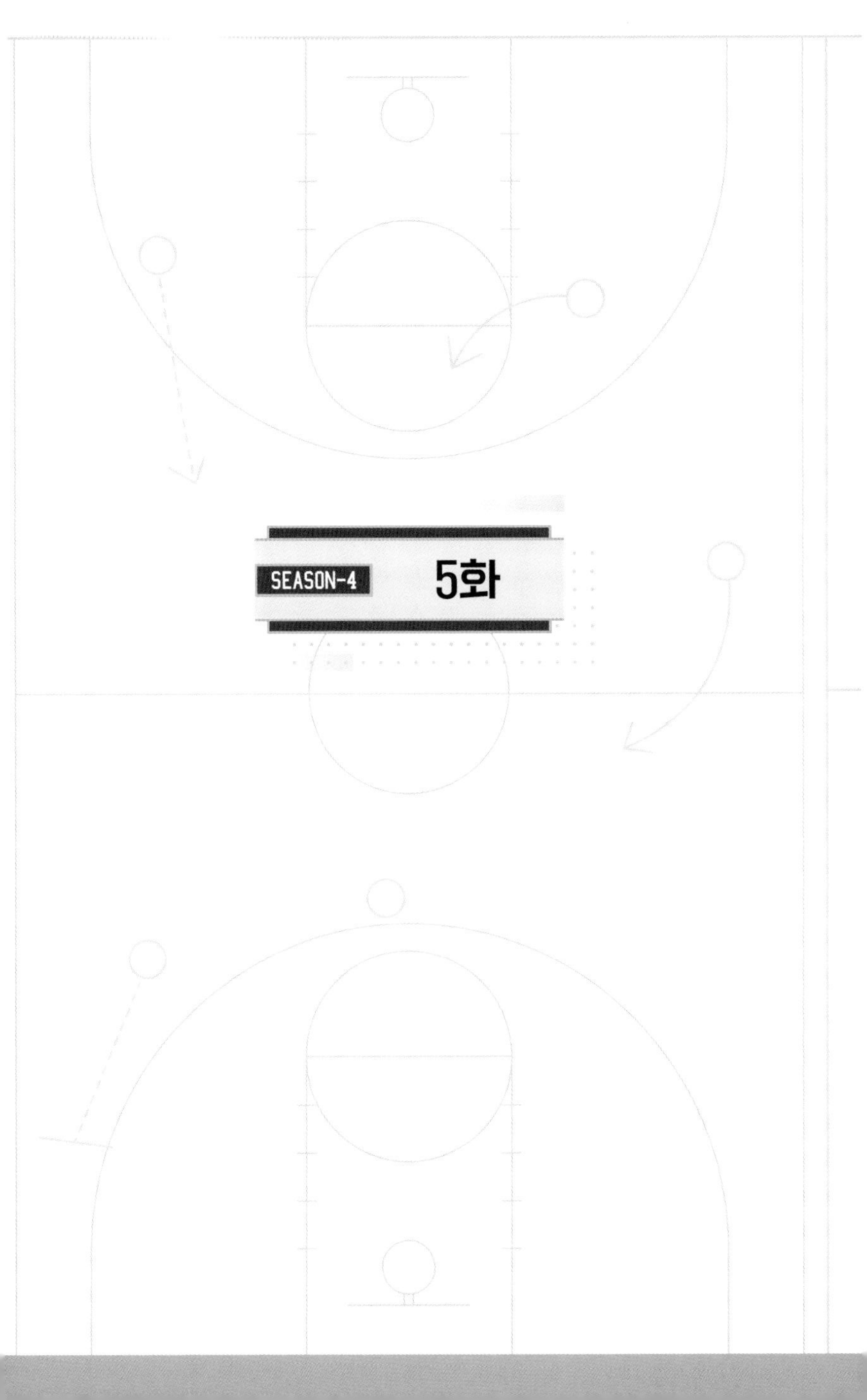
SEASON-4
5화

GARBAGE TIME

푸핫!
저게 뭐야?
자유투
빽차!?
나도 골대는
맞추겠다!
농구 하는 애
맞냐?

와~
앨리웁 덩크보다
보기 드문
플레이인데.
좋은 구경 했네
실제로 본 거
초등학교 때 이후로
처음이야.

야이씨
정신 안 차려!?
넣을 수 있을 때
넣어놔야 한다고!
아 손이
미끄러졌다고요,
손이!
내가 다
쪽팔리네,
어휴!

태성이
신경 쓰지 마래이!
내도 초딩 때
그랬던 적
있으니까….
누구나
한 번쯤…
재유 햄! 그런
사려 깊은 말은
공태성을 더
비참하게
만든다고요!!
지상
지상

마! 시끄럽다!
이따가
멋있는 거 하나 해서
덮어버릴 거니까…!

멋있는 거
할 생각 하지 말고
기본이나 해!

온다!

3점 찬스!
땡겨!

인앤아웃!
속공!

백코트!
오늘 종수…
컨디션이
안 좋은가?
종수야!
자꾸
한 방에 하려고
하지 마!

돌리면서 해,
돌리면서!
지원
휙

찬스!
또 바로 던진다…!

촤
악
나이스!!!

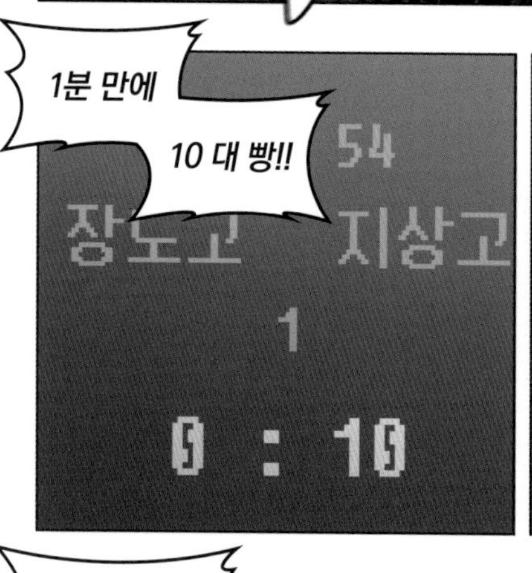
1분 만에
10 대 빵!!
54
장노고 지상고
1
0 : 10

페이스
뭐야!?

초반 분위기
심상치
않은데!?
이제
두 자릿수
차이다.
지상고
뭐 이렇게
잘해!?

언제까지
실실거리나
보자고.

지상고가
초반부터
템포를 엄청
밀어붙이네.
必死卽生

예상외다,
이건.

장도고 상대론
하프코트 상황에서
득점하기가 쉽지 않으니까
그러는 거겠지.
영중이 형은
결승전 안 봐요?

왜 봐?
어차피 장도고가 20~30점 차로 이길 텐데.

만에 하나라는 게 있잖아요.
그런 리드는 어차피 잠깐이야.
지금도 시작한 지 1분 만에 지상고가 10점 리드하고 있다고요.
그럴 거 같긴 해요.

그리고
어느 쪽이 이기든

조금
짜증 날 거
같단 말이지.

통
통
JISAN
31

선수 임원 여러분

헤이.

뭐…
종수
살아날 때까진

잠깐
맡겨볼까.

탕

읏!?

사아

08 : 39
장도고 지상고
1
2 : 10
오케이!
장도고
첫 득점!

굿굿!
쉽게 쉽게
가자~!

디펜스!
수비 하나!
JISANG
4

일단은…

준수
위주로….

전영중 상대로도
30점 넣었는데

9번 정도는
이길 수 있겠지.

찬스!

아유~!
아깝다!

팡
백코트!

천천히!

한 번 더….

임승대다!
얜 좀…

가볍네.

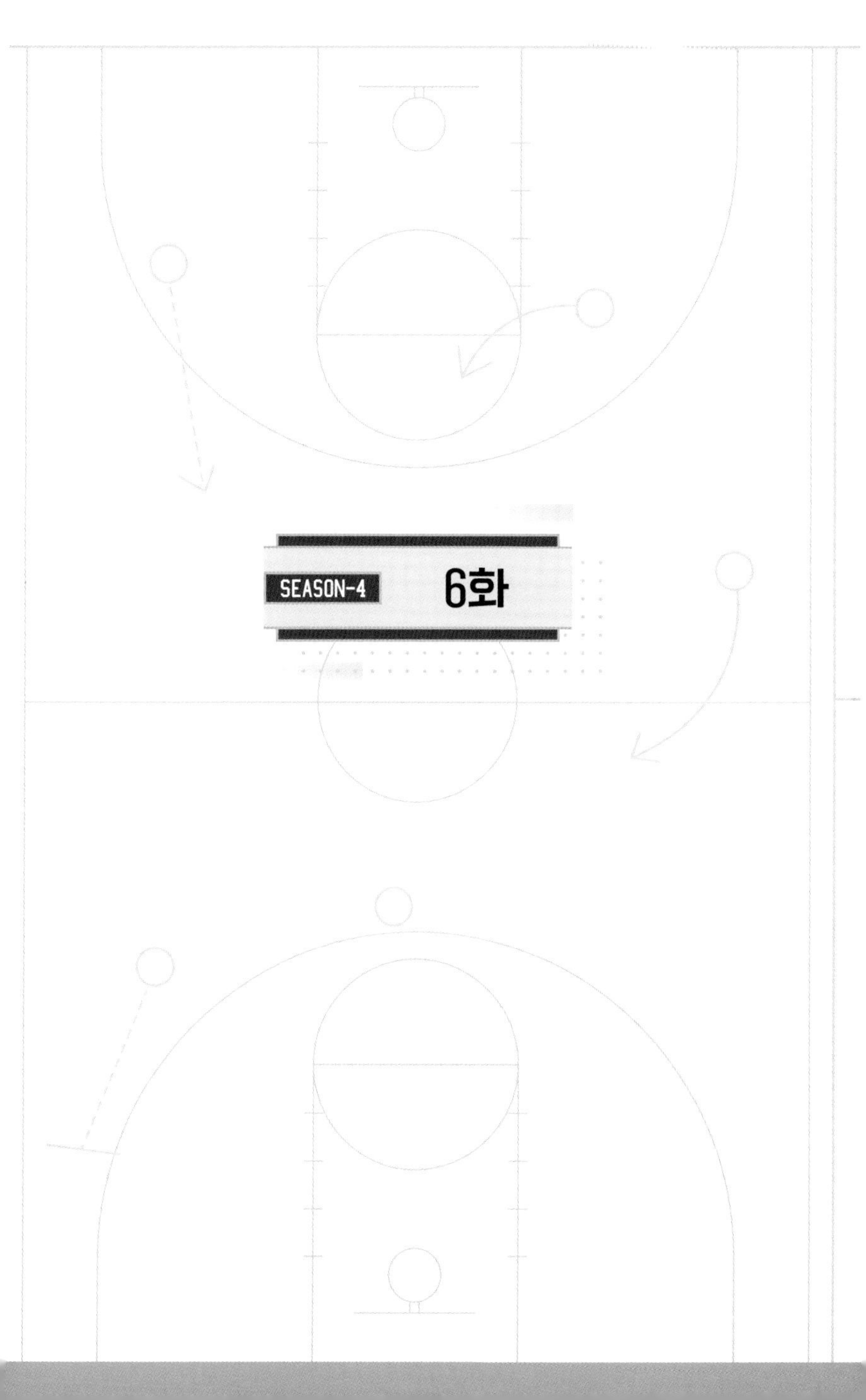

SEASON-4

6화

GARBAGE TIME

파
악

아!
탁
빡

슈팅 파울!
자유투다!
그래, 잘 끊었어!
임승대는 파울로 끊는 게 맞지!

이거는…
임승대 마크가
김다은에서
공태성으로만
바뀌어도

미스매친데…?

굿샷~
1구 성공!

08 : 11

장도고 지상고

1

3 : 10

JISANG
23

내 거야!
다 꺼져!
휘청
공격
리바운드!

아씨!!!!

휙

탁

올라가!
파
턱

촤악

나이스!!!
08 : 08
장도고 지상고
1
5 : 10

앤드원!!!
야!
리바운드 좀
신경 써!!!
공격을
몇 번씩
주는 거야!?
아이씨…
아 알았어요!

승대야,
백보드 노려서
던져보자.
통
통

추가 자유투
1구!
휙

타
탕
리바운드!

탁

임승대
자유투 징하게
못 던지긴
하네요.
괜찮아.
그래도
임승대 정도면
최소 외국인 용병
고기 방패까진
클 테니.

저
커다란 몸집에
체급 대비 우수한
운동 능력까지.

고등부 팀이
당해내긴
쉽지 않지.
블록슛!

아!
탁

천천히!

휘익
탁
계속
임승대다!

빙글

공태성!
파
야

JISANG
23
11

팍
JISANG
23
JISANG
7

타닥
23
JISANG

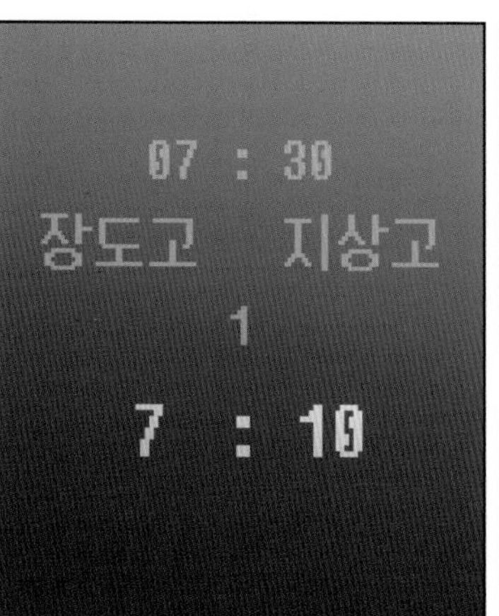
07 : 30
장도고 지상고
1
7 : 10

우와아앗!!!
떵크슛
나왔다!!!
개쩔어!

완전 짐승같이
찍어버렸어!

하,
최종수를 막겠다니
배부른 소리 하고 있어.

당장 임승대부터 손도 못 쓰면서 말야.

형,
그냥 여기 엎드려서
같이 보는 게
어때요?
됐어.

샷클락
얼마
안 남았어!

휘익
던져!

미스!
백코트!
텅

장도고 득점이
나오기 시작하니까
지상고 공격이
답답해지기 시작했
장도고
이 망할 자식들!
속공 말고
하프코트 상황에서
득점을 만들 만한
플랜 B는 있는
종수 형님한테
볼을 갖다
바치라고!

승대의
슈팅 능력이
부족한 건 참
아쉽지만
뭐, 좋게 생각하면
슛감에 의존하지 않는 만큼
기복도 없는 거지.

오늘은
종수 상태가
안 좋은 모양이니
적당히 한…
빙글

30점만
넣어줘라.

SEASON-4

7화

아앗!?
멈칫
아!

또 자유투!
벌써…

파울 두 개.
JISANG
23

임승대
참…

기술이라곤
왼쪽으로 돌거나
오른쪽으로 돌거나
이지선다에
슛 페이크 섞어주는 게
끝인데
그것만 가지고도
영리하게
잘한단 말이지.

애초에
센스도 좋은 데다
자기 큰 몸을
쓰는 방법을 알아.

야,
막 뛰지 좀 말고
손만 들고
있으라니까?
벌써
파울 두 개니까
전반 끝날 때까진
사려.
왜 이렇게
흥분해서 날뛰어!?
사리려고 했는데
엔트리패스가 너무
쉽게 들어오잖아요!

자리 먼저 잡고
디나이 좀 잘해봐!
임승대 상대로
자리 잡는 게
쉽지가 않아요.
준수 형이
앞에서
먼저 좀….

아 알았다고!
이규 저 X끼
팔이 길어서
나도 패스 견제하기가
쉽지가 않아!
의료

휙
텅
1구 실패!

나 참….

통 탁

휙

텅
2구까지
실패!?

백코트!
탁

이걸 두 개를
다 놓치네요.
자유투
결과만 놓고 보면
굿파울이 되긴
했는데
교체 자원도 없는
지상고가 앞으로
파울 숫자 관리를
어떻게 할지….

디펜스!

하나 막자!

받아!
아 씨…!

패스 또 들어갔다!

뚫렸다!

루즈볼!
속공 찬스!!!
뛰어
뛰어
뛰어!

일대일!

나이스!
통
스윽

06 : 08
장도고 지상고
1
7 : 12
스텝
깔끔했다!

6번…
허투루 얻은 명성은 아닌 모양이군.
재유 햄 나이스~!
6번 뭐야!?
코트 반대편에서 나타났어!

상호.
잘하긴 했는데
너무 도박적이었다.
툭
고교농구대

—최종수를
놔두고 가는 거.

글킨 한데…
임승대가…
막 뛰지 쫌 말고
손만 들고 있으라고요
뒤진다 너

최종수 쪽을
거의 안 보던데요?
헤이!
헤이!

임승대한테
완전히 볼을
몰아주고 있어!

휙
웃!
빠르게
던졌다!
훅 던지기엔
좀 멀지 않나!?

없다!
JISANG
6

미스!
텅
백코트!

쳇.

신경 쓰이네.

굿굿!
하나 만들어보자!

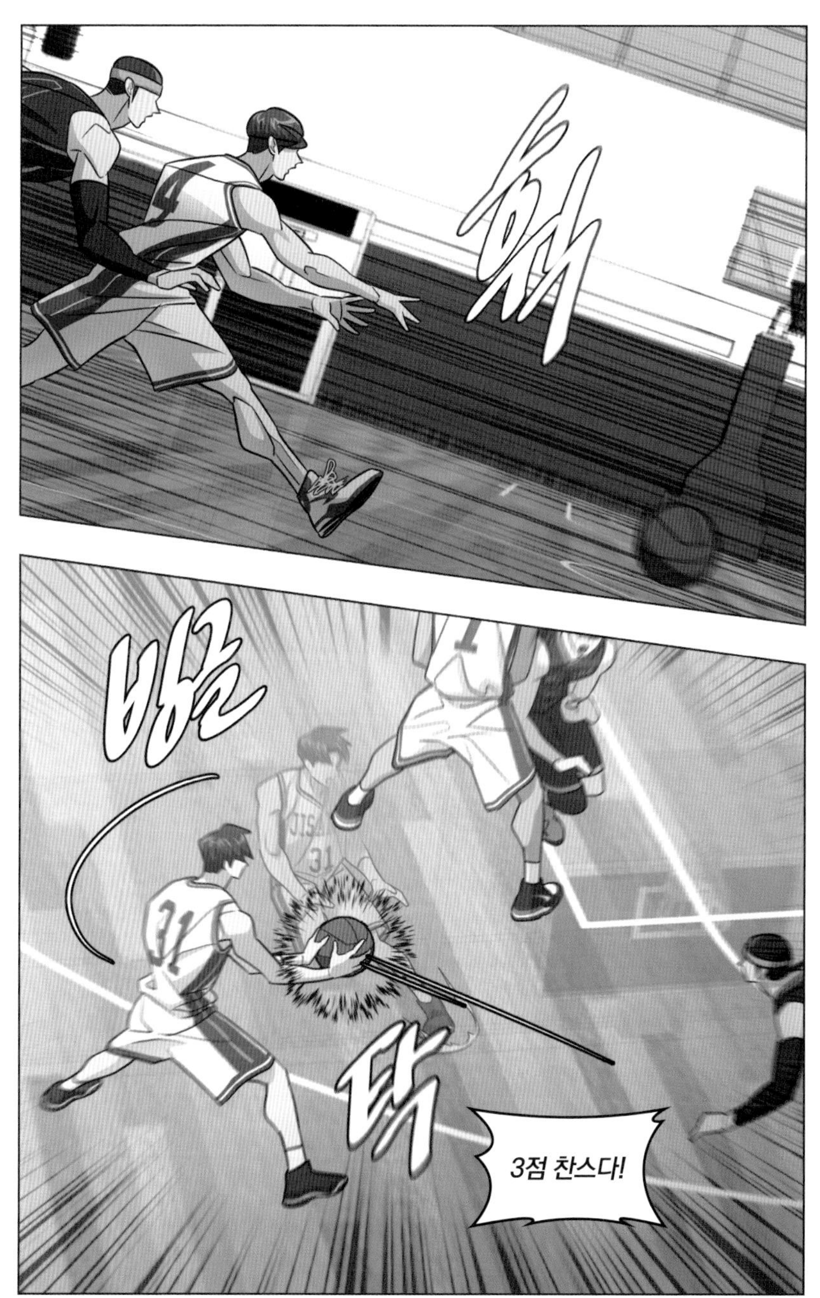
빙글
탁
3점 찬스다!

올라가!

나이사!!!

05 : 29
장도고 지상고
1
7 : 15
보고 있는 모두를 속여버린 패턴 플레이!

31번 지금 몇 점째야!?
오늘 슛감 심상치 않다!
아이씨, 잘 들어가네.
야.

나 줘.

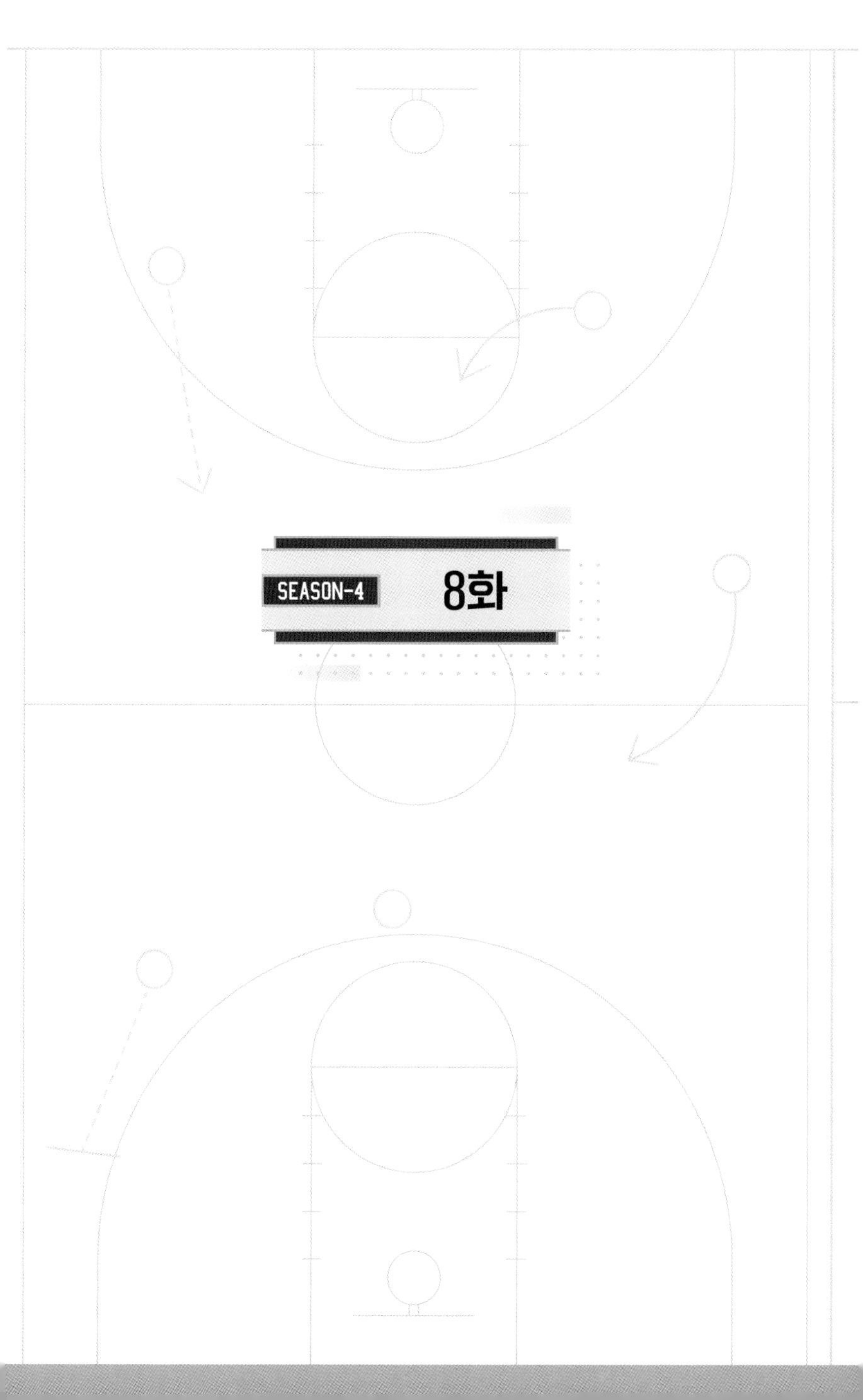

SEASON-4 8화

GARBAGE TIME

2쿼터부터
몰아줄 테니까
체력 안배하고 있어.
체력 안배가 아니라
하품이 나올
수준이라고.
6번 재 공격 때
아무것도 안 하고
어슬렁거리는 게
다라니까.

조금만
기다려.
승대
잘하고 있잖아.
잘하기는,
자유투도
못 넣는데.
승대가
파울 쌓아놓고 나면
공격하기 훨씬
편할 거야.
내가 다
플랜이 있다고.

쳇.
분을 진심으로 환영합

어휴 피곤해~
오늘따라…

승대가 유독
찡찡거려서 말이지.

리바!

공격
리바운드!

탁

다은 햄!
손만 들어요!

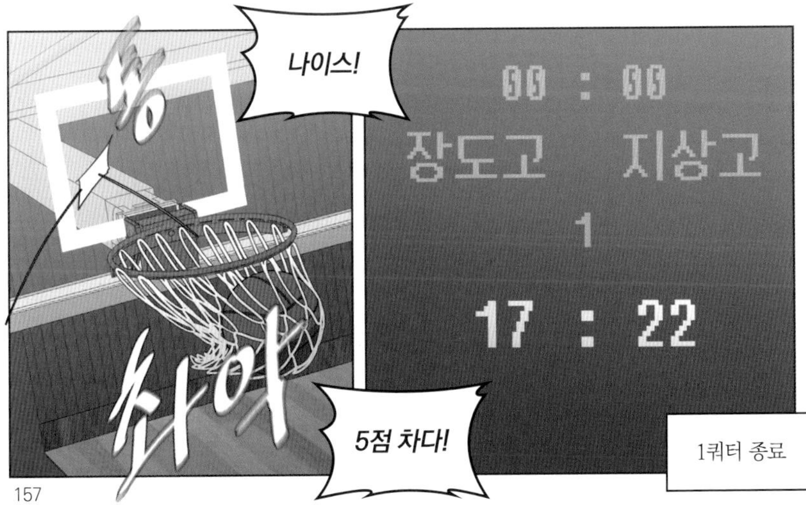

1쿼터 종료

임승대 진짜
무지막지하다.
저걸 대체
어떻게 막아?
장도고는
2옵션이
이 정도라니.

수비 전술이
문제가 아니라
그냥
높이랑 파워 때문에
물리적으로 수비가
불가능한 거 아니야?
임승대가 자유투만
괜찮게 던졌어도
점수 다 따라잡고도
남았어.

오늘
파울 판정 쫌
짜지 않음?
내 말이.
임승대 점마
팔 계속 휘두르고
어깨빵 X나 해대는데
하나를 안 분다 아이가?
JISANG

그래도 뭐,
1쿼터 리드도
파울 써가면서
어찌저찌 유지하고…
이 정도면
지상고 상당히
선방했네.
성준수 슛감이
저번 원중고 경기 때
만큼만 됐으면
이기진 못하더라도
훨씬 더 볼만한 경기가
됐을 텐데
그건 좀
아쉽네요.

에이.
그땐
육면체 주사위를 던져서
7눈이 나온 거나
다름없는 날이었잖아.
그런 슛감은
평생 다시
올까 말까 한
수준이라고.

그리고
오늘 컨디션도
나쁘지 않아.
찬스 잘 살리고
못 넣을 건
못 넣고…
주사위
4 내지 5 정도.

뭐,
니 말대로
경기 결과를
바꿀 순 없겠지만.

야, 찬양아.

성준수한테
점수 너무 주는 거
아니야?

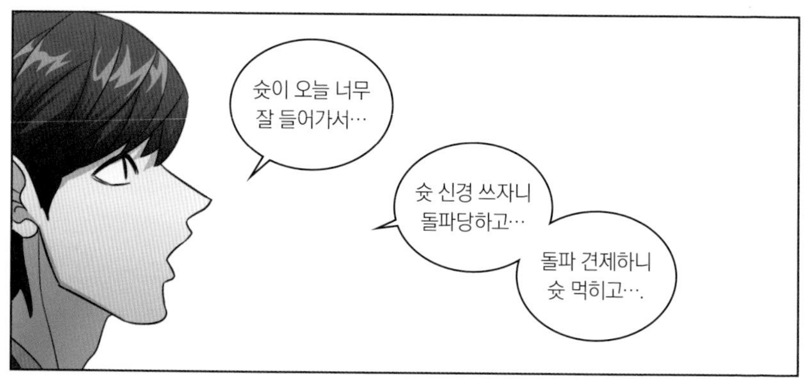
슛이 오늘 너무
잘 들어가서…
슛 신경 쓰자니
돌파당하고…
돌파 견제하니
슛 먹히고….

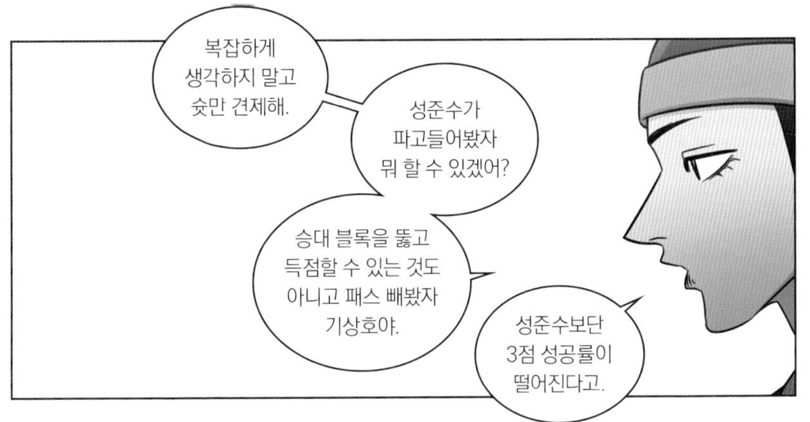

복잡하게
생각하지 말고
슛만 견제해.
성준수가
파고들어봤자
뭐 할 수 있겠어?
승대 블록을 뚫고
득점할 수 있는 것도
아니고 패스 빼봤자
기상호야.
성준수보단
3점 성공률이
떨어진다고.

알았어요.
그렇게
해볼게요.
그래.
잘해보자.

펑

리바!
팍
내 거다아악!!!

나이스!

09 : 22

장도고 지상고

2

19 : 22

노수민
공리 벌써
세 개째야!
('ㅁ')9!!!

23번
리바운드 좀
해봐!
아이씨…!
왜 자꾸…!

왜 자꾸
리바운드를 내주는지
그 이유가
궁금한 모양이군.
원한다면
말해주지.
아니, 됐으니까
말 걸지 마라.

혹시
'슈뢰딩거의 점프슛'에
대해 알고 있나?

…
'슈뢰딩거의
점프슛'…?

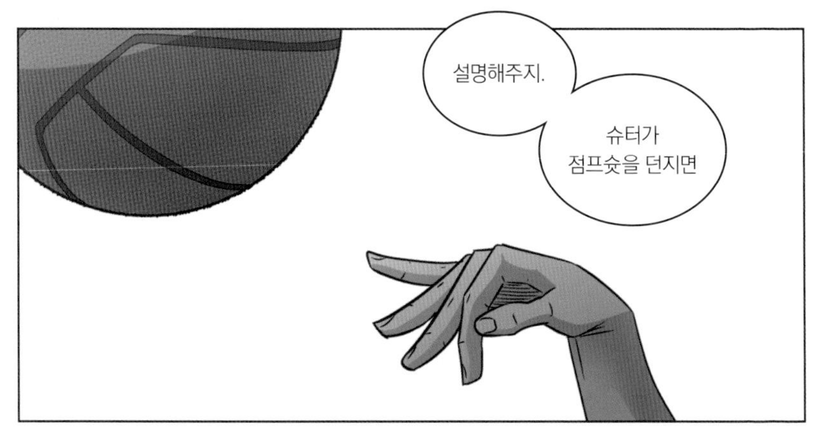
설명해주지.
슈터가
점프슛을 던지면

슛이 성공하는
미래와

림 뒤쪽을 맞고
실패하는 미래,

림 왼쪽을
얇게 스치고
실패하는 미래 등이
중첩된 상태로
존재한다.
이것이 바로
'슈뢰딩거의 점프슛'.

뭔 개소리야.

하지만
나에겐…
그 중첩된
여러 가지의
미래 중…

진실된
하나의 미래가
보인다!
팟

내 거야아악!!!
(〉ㅁ〈)!
탁

장도고
수비 성공!
백코트해!

수민이가
보기보다 분석파란
말이지.
말을
이상하게 해서
그렇지
선수들의
슈팅 습관을 분석하고
볼의 낙하지점을
예측하는 것이
수민이의 비결.

오래 알고 지낸 팀 동료는 물론이고
지상고의 주득점원인 진재유와 성준수의 습관도
결승 상대가 정해진 그 짧은 시간 동안 어느 정도 파악이 된 모양이야.

덕분에 오늘 리바운드 싸움도
무난하게 압도할 수 있겠어.

JISANG
31
4
통
통

슬슬…
휙

탁

야.

보여주자, 종수야.
오른쪽으로 가다가
멈춰서 점프슛.

막아봐.

GARBAGE TIME

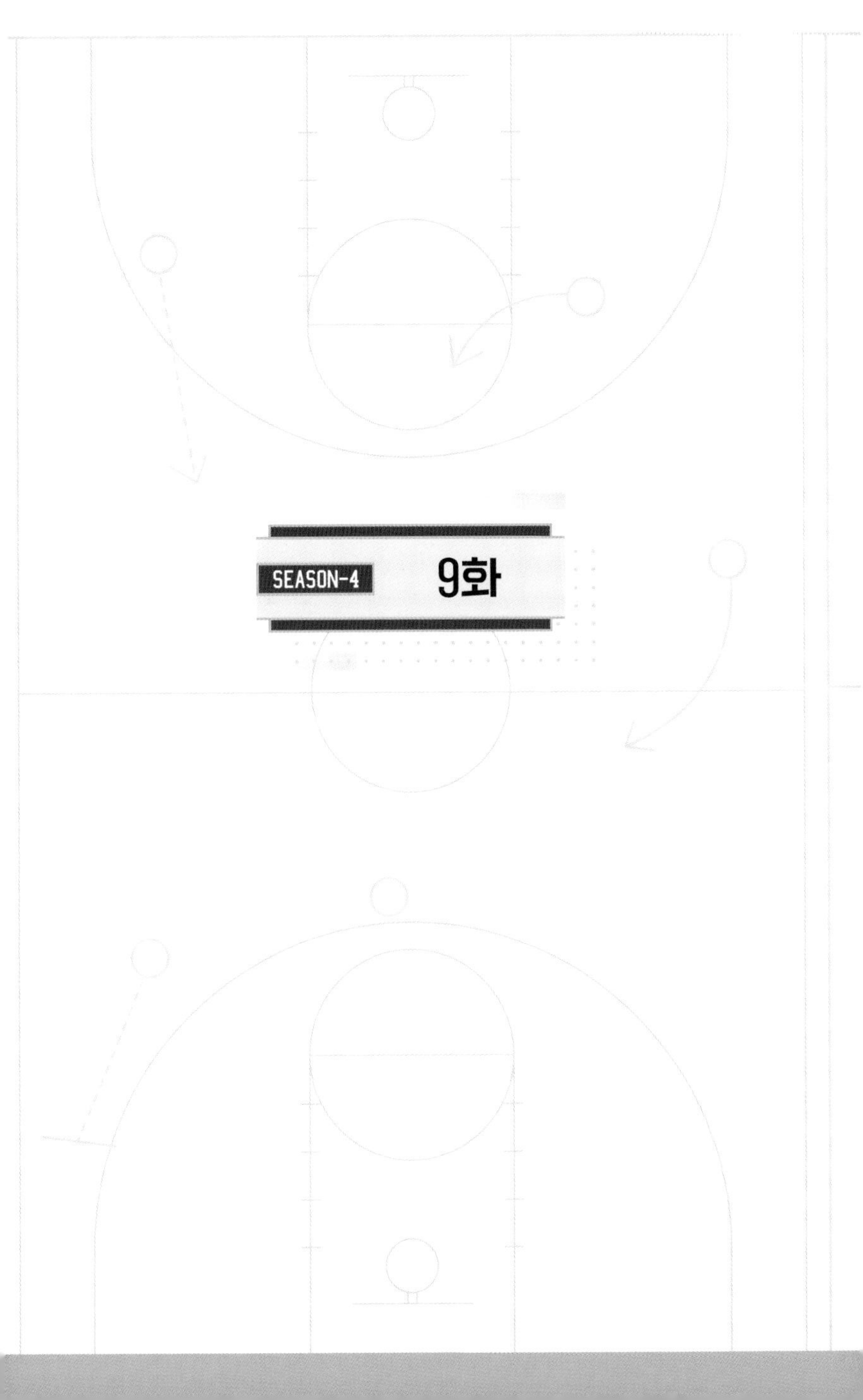
SEASON-4
9화

GARBAGE TIME

끄윽…!

JISANG
6
23

…!!!

08 : 50

장도고 지상고

2

19 : 24

나이스!!!

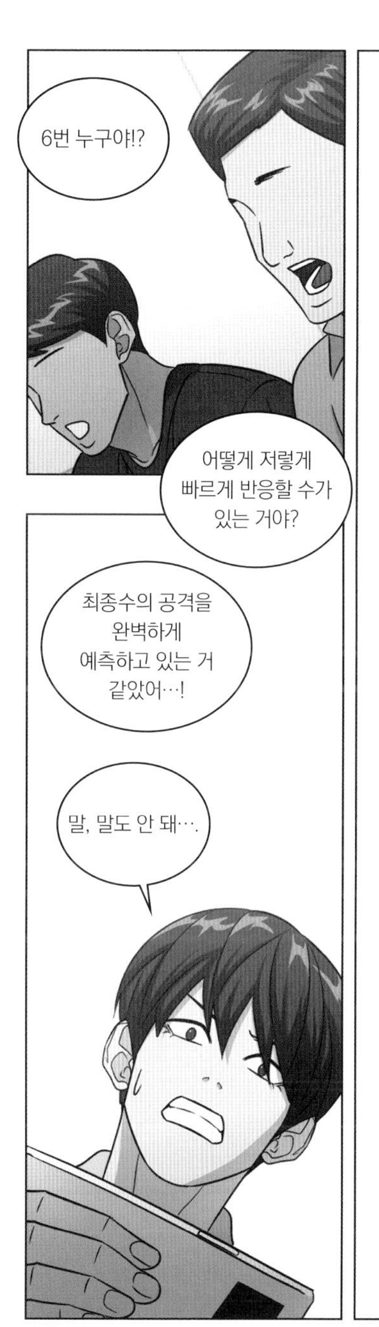

기상호 저 나부랭이가

감히 종수 형님의 볼을 건드리다니…!

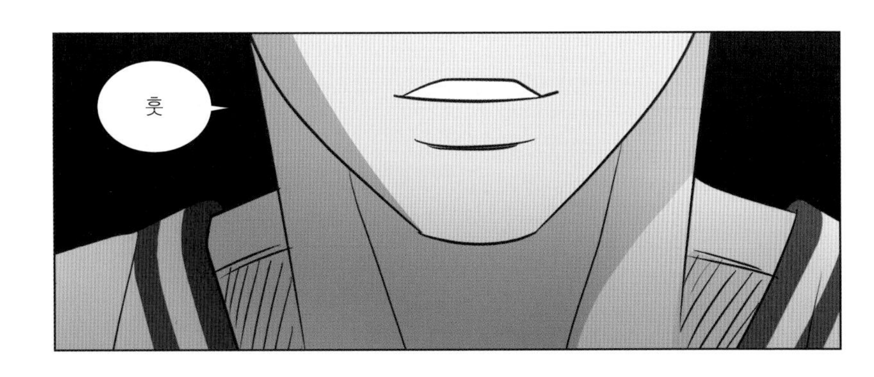
훗

읽혔다.
JISANG

영문은
모르겠지만
최종수는
역시…

상언 햄을
동경하고 있는 게
틀림없다.
가만 놔뒀으면
그때처럼
슛 페이크 한 다음에
던졌겠지.
기출문제가 나와서
다행이다

이거 이거
최종수

생각보다
막을 만할지도…?

이번엔
어느 쪽?

탕

쌍호,
잘한다!

돌파 경로
차단!
포스트업
전환!

큭…!

아앗!
억!

나이스!

그래, 종수야
이거지!
지상고 수비진
혼자서 농락!
08 : 34
장도고 지상고
2
21 : 24
슬슬
시동 걸자,
최종수!

크윽…
비겁하게
포스트업을…!
23

…?
포스트업이 뭐가 비겁하다는 거야?

자,
자신보다 작은 상대에게 포스트업을 이용해 득점하는 행위는 제네바협약에 의해 전쟁범죄로 규정되어 있습니다.
이 사실이 알려지면 전국페이스업협회에서 가만히 있을 리가….

개소리하지 마.
제네바협약에 그딴 게 왜 있어?
그리고 전국페이스업협회 같은 게 있겠냐, 멍청아?

별 정신 나간 놈을 다 보네.
머리가 어디 잘못됐나?
……

이 사람
똑똑해…!

뭐,
알았어.
에…?

어쨌든
포스트업하지
말아달라
이 소리 아냐?
그렇게
해주겠다고.

…네?
뭐, 뭐 굳이 그렇게까지 해달라는 의미는 아니었는데 그렇게 하시겠다면 뭐… ㅎ
가, 감사합니다….

통
탁

백코트!

팡
오케이!
6번이
잘 따라잡았다!
최종수!
일대일로
눌러버려!
씩
저기…
돌파 방향
한 번만 더
알려주시면
안 될까요…?

푸핫!
넌 자존심도 없냐?
페이스업이면 막을 수 있다는 뜻 아니었어?

그래도 뭐…
특별히 이번까지만 알려줄게.

돌파 방향은…
없어.

휙
면전 3점!?

굿샷!!!

07 : 57

장도고 지상고

2

24 : 24

동점이다!!!

최종수
영점 조절
완료!

지금부터
시작이다!

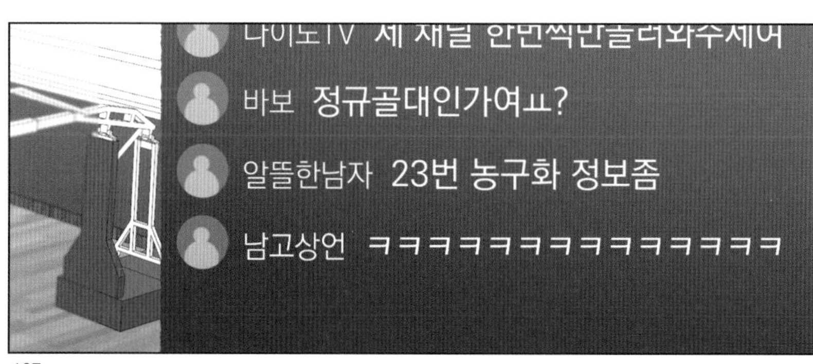
바보 정규골대인가여ㅛ?
알뜰한남자 23번 농구화 정보좀
남고상언 ㅋㅋㅋㅋㅋㅋㅋㅋㅋㅋㅋㅋㅋㅋ

바보 정규골대인가여ㅛ?

알뜰한남자 23번 농구화 정보좀

남고상언 ㅋㅋㅋㅋㅋㅋㅋㅋㅋㅋㅋㅋ

남고상언 지상곡ㅋ

남고상언 ㅋㅋㅋㅋㅋㅋㅋㅋ
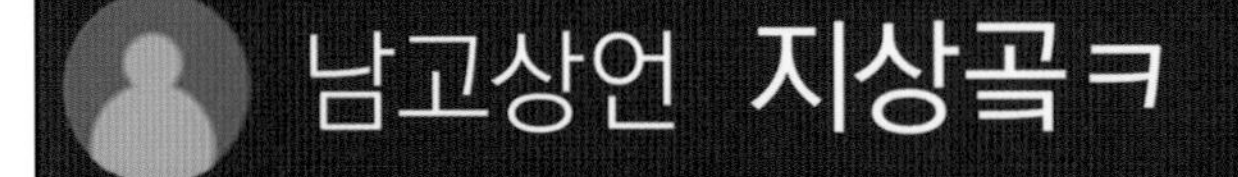
남고상언 지상곡ㅋ
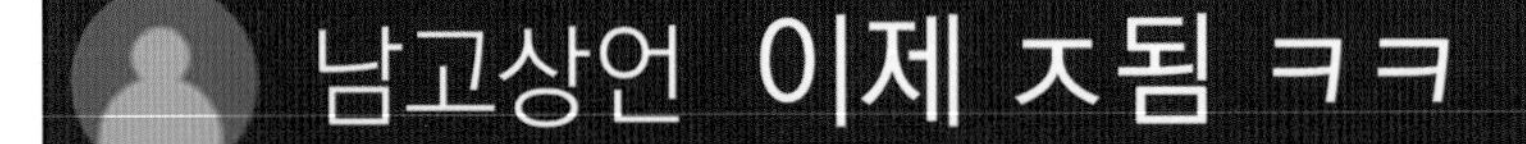
남고상언 이제 ㅈ됨 ㅋㅋ

SEASON-4

10화

GARBAGE TIME

쉬익

휙

탁

탕

나이스!
지상고
2
26 : 24
역전이다!

아니, 지상고
아까 전까지만 해도
두 자릿수로
앞서 있었잖아?
벌써 역전되네,
이게.
JISANG

괜찮다니까.
이렇게 되는 게
당연한 거야.
사파의 방어술론
종수를 감당할 수
없어.

저 사람은
아까부터 대체
뭐라는 기고…?

중학생 때
종수와 처음 만난
이후로
내 훈련의
마무리는 항상

종수와의
일대일이었어.

3점 라인
밖에서 시작,
트리플 쓰렛
상황부터
드리블 세 번
이내에 슈팅.

하프라인
밖에서 시작,
드리블 상황부터
자유롭게.

페인트존
근처에서 시작,
엔트리패스를
받기 위한
자리싸움부터,
패스 캐치 이후엔
드리블 두 번
이내에 슈팅.

이렇게…
상대의 헬프가
적극적이라
볼은 오래 끌 수 없는
상황이라든지
트랜지션에서
빠른 득점을
노리는 상황 등
온갖 상황들을
가정하고 일대일을
연습해왔어.

나도,

전영중도
그랬지만

너도
마찬가지야.
탕

통

종수는

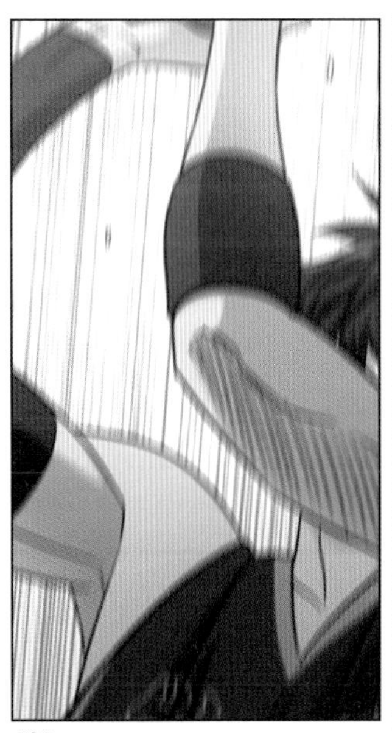

슈억
미끌

아무도
막을 수 없어.
촤
악
JISANG
6

굿샷!!!
06 : 37
장도고 지상고
2
28 : 24
최종수
롱 투 적중!
지상고
타임아웃!
OUT

지상고 타임아웃
너무 늦는 거
아냐?
대체
뭐 하는 거야?

아까부터
최종수를 6번 혼자
막고 있잖아!
최종수 볼 잡으면
바로 두 명이
달라붙어야지!
23
JISANG
6

6번
1학년이잖아!
하프코트 상황에서도
덩크 꽂는 피지컬을
1학년 혼자
어떻게 막겠냐고!?
좀 더 버텨봐,
지상고!
게임 재밌게
만들어야지!

야.
사람
넘어 다니지 마라.
죽이고 싶으니까.

아, 미안.
앞에 넘어져
있어서.

XX끼
대놓고 야리더만
모를 줄 아나
하 씨…

어렵네…
병찬 햄보다….

감독님.
'초식'이라는 게 무슨 말이에요?

…?
풀 먹는 거.
아니, 그거 말고 무슨 무협 용어 같은데….
감독님은 왠지 알 거 같았는데

그거 뭐
기본동작 아니면 기술,
뭐 그런 뜻 아이가?
근데
그거는 갑자기
와 물어보는데?

저쪽 4번이 자꾸
이상한 얘기를
하더라고요.

최종수는
초식을 초월한 경지에
도달했다느니…
저는
사파 방어술을 써서
최종수를
못 막는다느니….

이제야 좀
알겠네.

그 말뜻을.
최종수를 혼자서 30점 내외로 막을 수 있는 재능까진 아냐.
윤 감독님께 받은 공책에는
장도
최종수의 공격 루트

그리고 그 루트에 따른 성공률 등이 빼곡히 적혀 있었다.
최종수를 분석하는 데에 모든 시간을 쏟아서 다른 팀에 대한 대비를 하지 못했다는 말이 단번에 이해될 정도로.
하지만 윤 감독님 말씀 그대로

최종수에 관한
데이터
뭐,
공유해줄 수는
있다만
큰 도움이 되진
못할 거다.
큰 도움이 되진
않았다.

최종수의
공격 루트는

캐치 앤 샷이든
풀업이든

페이스업이든
포스트업이든

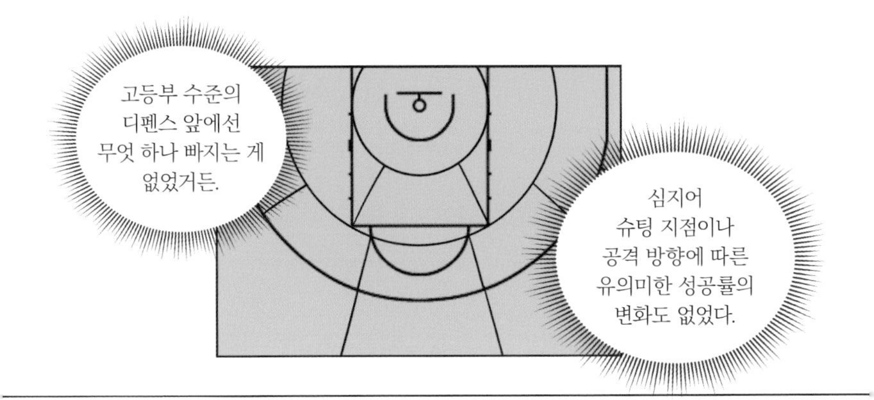
고등부 수준의
디펜스 앞에선
무엇 하나 빠지는 게
없었거든.
심지어
슈팅 지점이나
공격 방향에 따른
유의미한 성공률의
변화도 없었다.

말 그대로
'초식을 초월한
경지'란 말이다.

반면에
상호의
디펜스는
공격자의
움직임을 쫓아
슈팅을 방해하며
성공률을 낮추는
정석적인 방법보다는

상대를 분석하고
약점을 파고들어
직접적으로
볼을 빼앗는 플레이의
비중이 높은
도박적인 타입.

이 때문에
100점짜리 돌파 옵션을 위주로
80점짜리 슈팅을 섞어
이지선다형 플레이를 펼치는
박병찬보다
모든 옵션을
90점으로 갖추고 활용하는
최종수가 상호한테는
더 어렵게 느껴질 수밖에.

...
지금부터

최종수는

무조건
더블팀으로 막는다.

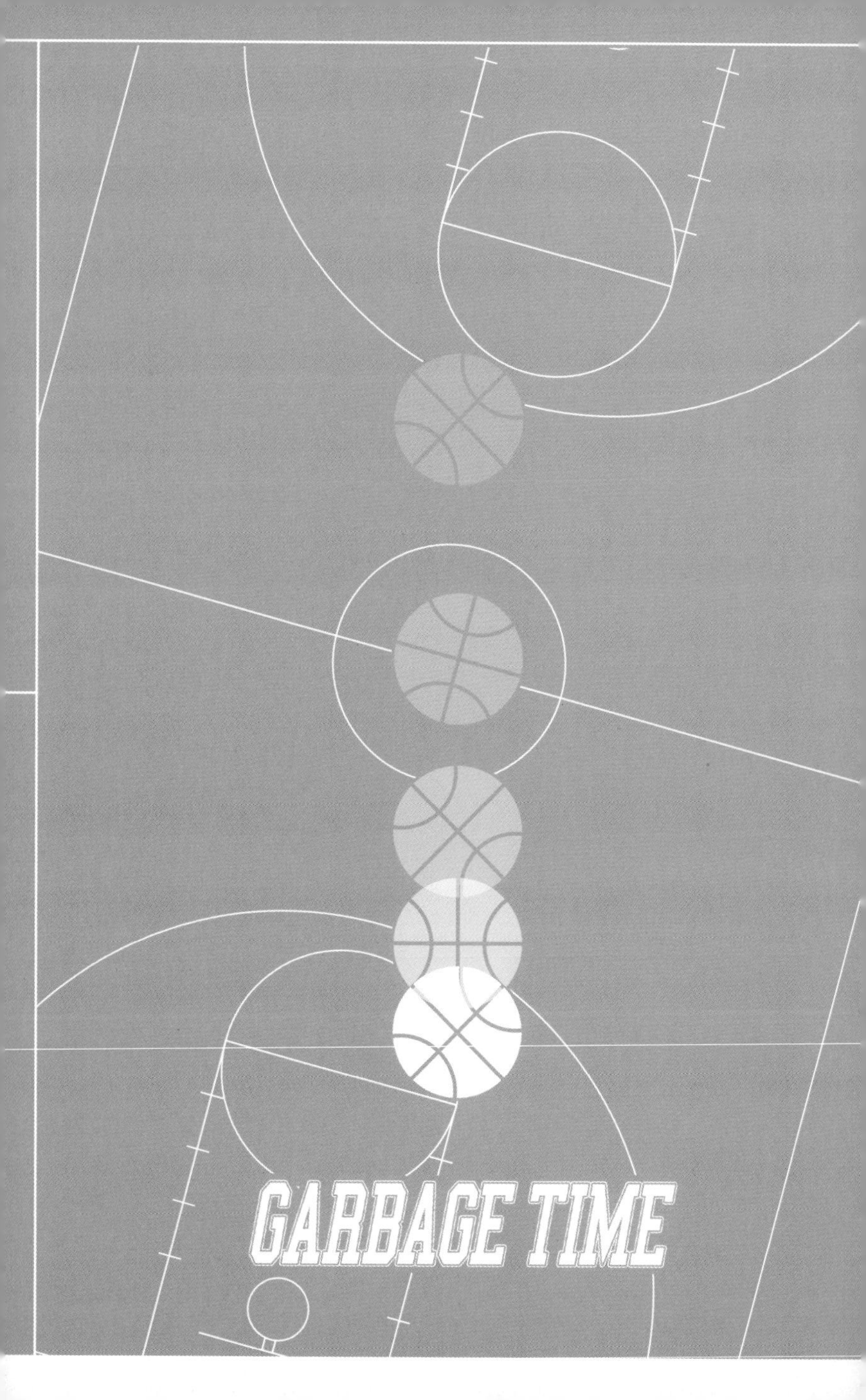
GARBAGE TIME

SEASON-4

11화

GARBAGE TIME

ne OUT

고생했다.
앉아서
좀 쉬어.
옙.

지상고…
철저한
분업 플레이에
주입식 패턴…
전형적인
옛날 농구네.

뭐, 초보자들 데리고
빨리 성적 내려면
저게 맞긴 하지.
그래도
성공했네.

탁
준우승이면.
탕
온다!

더블팀!

풀업!

굿샷!
촤악
05 : 59
장도고 지상고
2
30 : 24
더블팀
둘러싸이기
전에 감각적인
스톱점퍼!

굿샷,
종수!
이제부터 더블팀
바로 들어온다!
볼 처리
빠르게 하면서
내 쪽도 봐줘!

하, 씨…
저 풀업점퍼
어느 타이밍에
멈춰서 던질지 하나도
알 수가 없다고.

거의
눈을 감고
수비하는 느낌….

후…
상호한테

그래
말하고 싶지는
않았는데…
어쩔 수가
없었다.
더블팀 지시가
더 늦었다간 상황이
지금보다 훨씬
위험해질 테니.

문제는
디펜스만이
팀에 기여할 수 있는
거의 유일한 방법이라
여겨왔을 상호가

최종수를
일대일로
마크하는 데에
실패한 지금
자기 자신을
어떻게 생각할지….

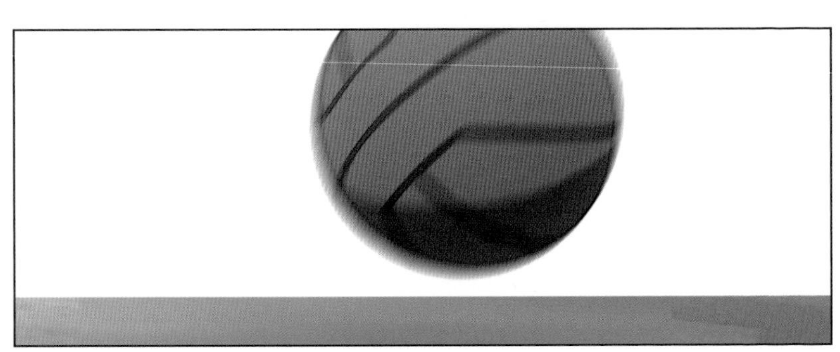

탕
베이스라인 쪽!
삐

투 샷!
31번이 그래도 쏠쏠하게 하나씩 해주네!

휙

텅

자유투 2구 중 1구 성공!
05 : 44
장도고 지상고
2
30 : 25
백코트!
휙

팡

휙

탕
코너 와이드 오픈!

휙
3점!

없다!
리바!

촤악

오늘
느낌
괜찮은데?

굿샷!!!
05 : 21
장도고 지상고
2
33 : 25
이규 오늘
첫 3점 성공!

이거 슬슬
위험하겠는데….
JISANG
4

씩

진재유는
날 상대론
적극적으로 득점을
시도하지 않아.
성준수한테
볼을 몰아주고
있어.
종수
널 상대로도
똑같겠지.

그러니까
기상호는
찬양이가.

진재유는
니가.

그리고
성준수는
내가 잡는다.
JISANG
31

이 매치업으로
2쿼터 안에
20점 차.
안녕?
잘 부탁해.
그대로
게임 끝낼 거야.

이규.
전영중과 자주 비교되는 좋은 디펜더야.

둘의 수비 능력은 거의 비슷하지만

굳이 굳이 눈곱만큼의 차이점이라도 찾아 말하자면
팀 디펜스는 전영중의 우위.

대인
디펜스는

이규가
우위다.

짜앙
나이스
블락!!!
JISANG
통

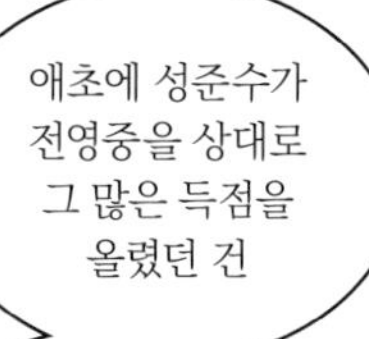
애초에 성준수가
전영중을 상대로
그 많은 득점을
올렸던 건
그날의 운이
따랐던 게 커.

성준수는
이규를
상대로

아무것도
할 수 없을 거다.

16권에서 계속

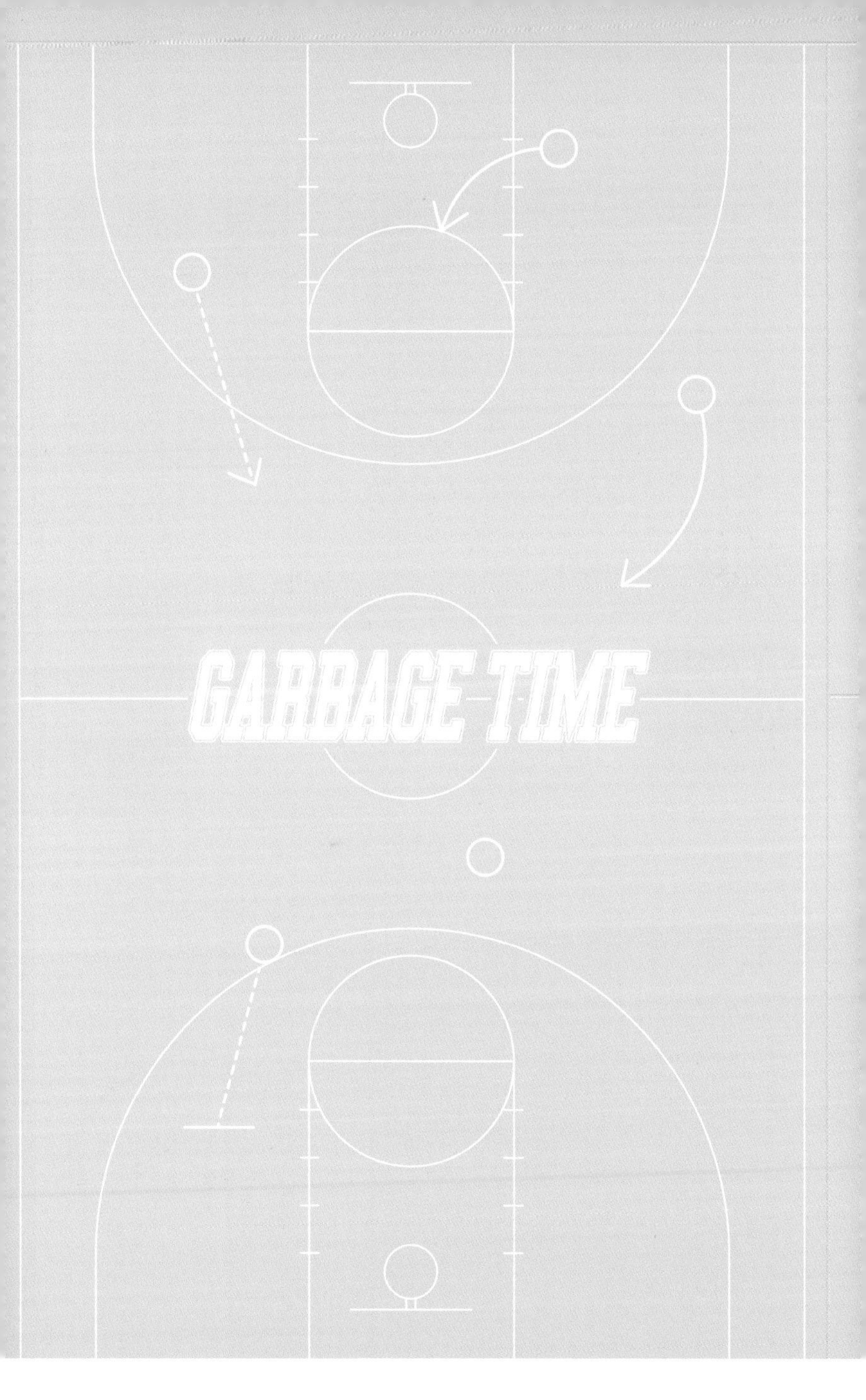
GARBAGE TIME

가비지타임 15

초판 1쇄 발행 2024년 5월 1일
초판 2쇄 발행 2024년 6월 10일

지은이 2사장
펴낸이 김선식

부사장 김은영
제품개발 정예현, 윤세미 **디자인** 정예현, 정지혜(본문조판)
웹툰/웹소설사업본부장 김국현
웹소설팀 최수아, 김현미, 심미리, 여인우, 이연수, 장기호, 주소영, 주은영
웹툰팀 이주연, 김호애, 변지호, 안은주, 임지은, 조효진, 최하은
IP제품팀 윤세미, 설민기, 신효정, 정예현, 정지혜
디지털마케팅팀 김국현, 김희정, 신혜인, 이소영
디자인팀 김선민, 김그린
저작권팀 한승빈, 윤제희, 이슬
재무관리팀 하미선, 김재경, 윤이경, 이보람, 임혜정 **제작관리팀** 이소현, 김소영, 김진경, 박예찬, 이지우, 최완규
인사총무팀 강미숙, 김혜진, 지석배, 황종원 **물류관리팀** 김형기, 김선민, 김선진, 전태연, 주정훈, 양문현, 이민운, 한유현
외부스태프 하마나(본문조판)

펴낸곳 다산북스 **출판등록** 2005년 12월 23일 제313-2005-00277호
주소 경기도 파주시 회동길 490
전화 02-702-1724 **팩스** 02-703-2219 **이메일** dasanbooks@dasanbooks.com
홈페이지 www.dasan.group **블로그** blog.naver.com/dasan_books
종이 더온페이퍼 **출력·인쇄·제본** 상지사 **코팅·후가공** 제이오엘엔피

ISBN 979-11-306-5185-9 (04810)
ISBN 979-11-306-5170-5 (SET)